효린파파의

즐겁게 따라 쓰면 저절로 완성되는

막 써지는
영어 알파벳

성기홍(효린파파) 지음

· BOOK 4 ·

알파벳 P~U

KB019653

롱테일북스

대문자 **P**

소문자 **p**

🦋 그림을 보고 알맞은 알파벳 스티커를 붙여 보세요.

P **IG**

p **ink**

P **ET**

p **ee**

🌈 대문자 **P**와 소문자 **p**를 순서에 맞게 따라 써 보세요.

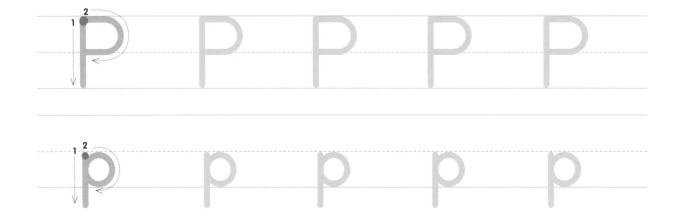

단어를 소리 내어 말하고, 첫소리 글자에 색칠한 후 스티커를 붙여 보세요.

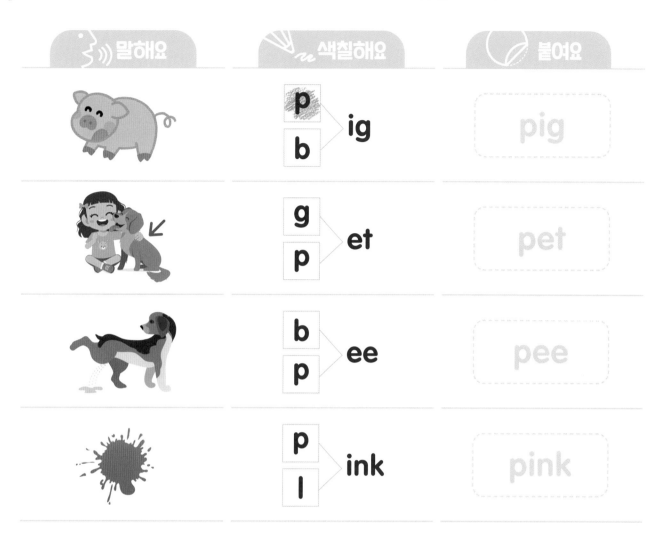

대문자 P와 소문자 p를 따라 써 보세요.

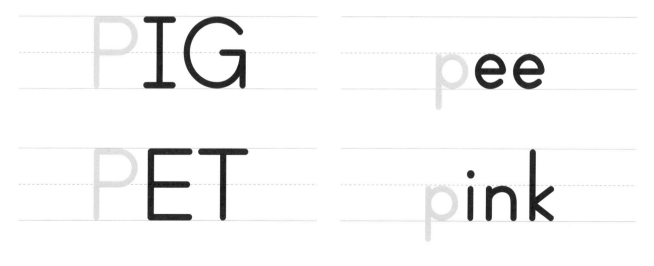

대문자 P와 소문자 p를 따라가며 첫째 돼지를 안전하게 집으로 데려다주세요.

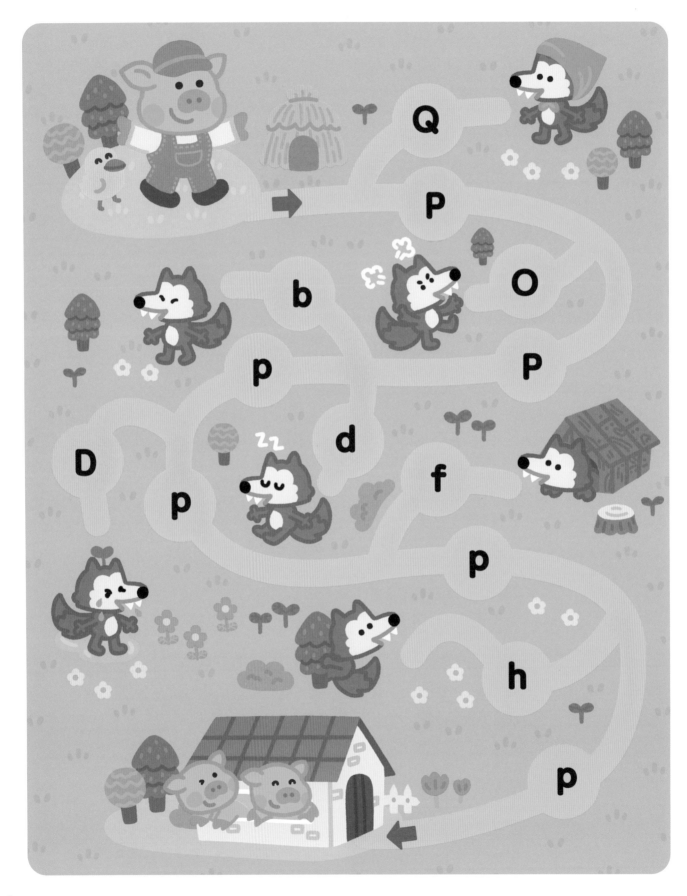

소문자 p를 따라 쓰면서 그림에 알맞은 문장을 완성해 보세요.

A pink pig pees.

It is my pet.

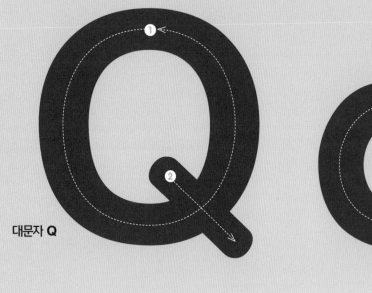

대문자 **Q**

소문자 **q**

🦋 그림을 보고 알맞은 알파벳 스티커를 붙여 보세요.

　Q **UEEN**

　q **uack**

　Q **UIT**

　q **uick**

🌈 대문자 Q와 소문자 q를 순서에 맞게 따라 써 보세요.

단어를 소리 내어 말하고, 첫소리 글자에 색칠한 후 스티커를 붙여 보세요.

말해요	색칠해요	붙여요
	q / p ueen	queen
	p / q uick	quick
	p / q uit	quit
	q / p uack	quack

대문자 Q와 소문자 q를 따라 써 보세요.

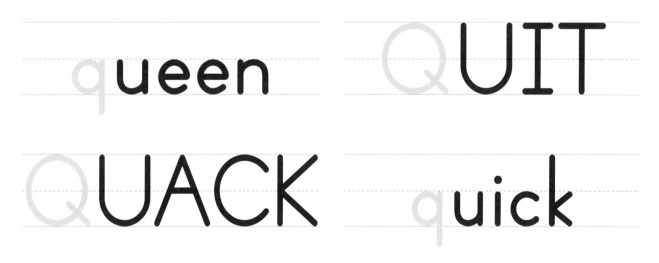

queen QUIT

QUACK quick

대문자 Q와 소문자 q를 바르게 짝지은 것을 모두 찾아 동그라미 해 보세요.

Q

Q-p   Q-q

O-q   Q-o   Q-p

Q-q   C-p   G-q

D-q   Q-q   P-q

소문자 q를 따라 쓰면서 퍼즐을 완성해 보세요.

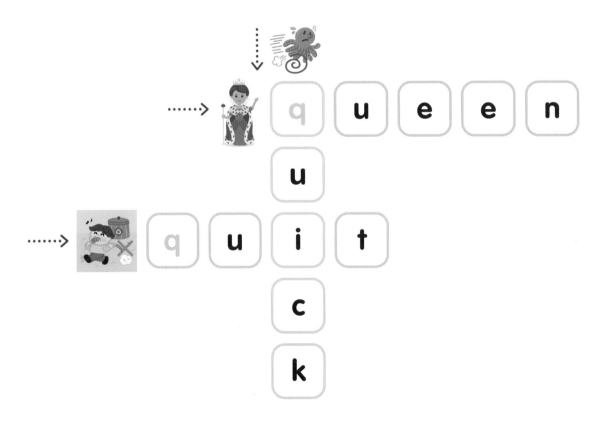

q u e e n

u

q u i t

c

k

대문자 Q와 소문자 q를 따라 쓰고 알맞은 그림과 연결해 보세요.

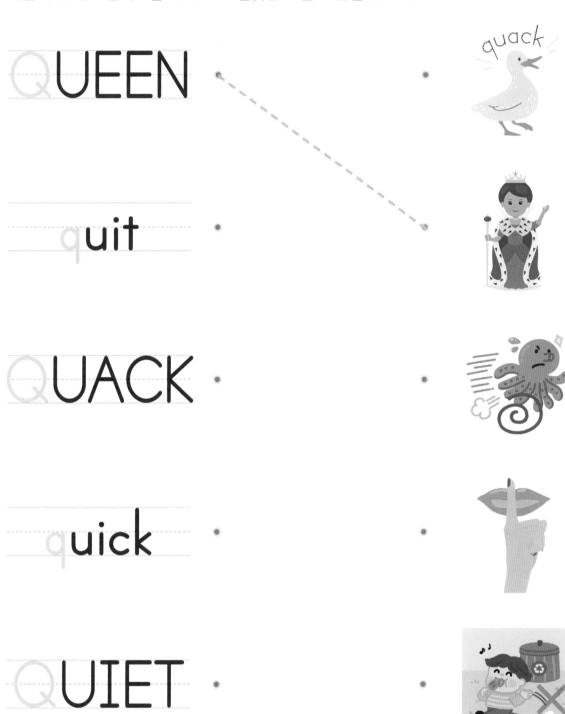

QUEEN

quit

QUACK

quick

QUIET

quilt

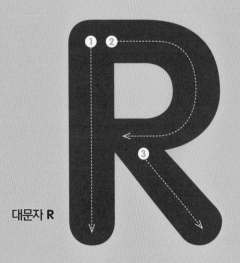

대문자 **R**

소문자 **r**

🦋 그림을 보고 알맞은 알파벳 스티커를 붙여 보세요.

 ED

 r ide

  OCK

 r ain

🌈 대문자 R과 소문자 r을 순서에 맞게 따라 써 보세요.

R R R R R

r r r r r

단어를 소리 내어 말하고, 첫소리 글자에 색칠한 후 스티커를 붙여 보세요.

말해요	색칠해요	붙여요
	b / r → ed	red
	r / m → ain	rain
	r / h → ide	ride
	l / r → ock	rock

대문자 R과 소문자 r을 따라 써 보세요.

RED   rock

RAIN   ride

대문자 R과 소문자 r이 들어간 단어의 그림에 <u>모두</u> 동그라미 하고 알파벳을 따라 써 보세요.

RED

nest

rain

ANGRY

rock

INSECT

RIDE

igloo

fart

소문자 r을 따라 쓰면서 그림에 알맞은 문장을 완성해 보세요.

A rock rides a red

scooter in the rain.

들어 보세요

대문자 S

소문자 s

그림을 보고 알맞은 알파벳 스티커를 붙여 보세요.

S UN

S it

S NAKE

S ad

대문자 S와 소문자 s를 순서에 맞게 따라 써 보세요.

단어를 소리 내어 말하고, 첫소리 글자에 색칠한 후 스티커를 붙여 보세요.

대문자 S와 소문자 s를 따라 써 보세요.

🦋 두 그림에서 서로 다른 5곳을 찾아 동그라미 해 보세요.

🌈 그림에서 찾은 단어 속 대문자 S와 소문자 s를 따라 써 보세요.

SUN   snake   snail   SAD   swim

대문자 S와 소문자 s를 따라 쓰고 알맞은 그림과 연결해 보세요.

sit

SUN

snake

SAD

SNAIL

swim

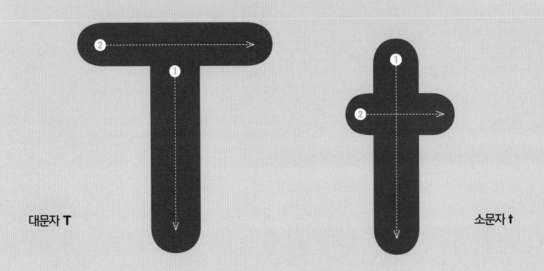

대문자 **T**　　　소문자 **t**

🦋 그림을 보고 알맞은 알파벳 스티커를 붙여 보세요.

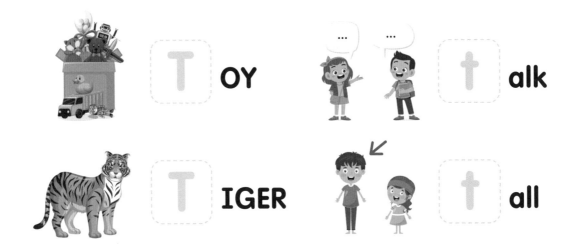

T OY　　t alk

T IGER　　t all

🌈 대문자 T와 소문자 t를 순서에 맞게 따라 써 보세요.

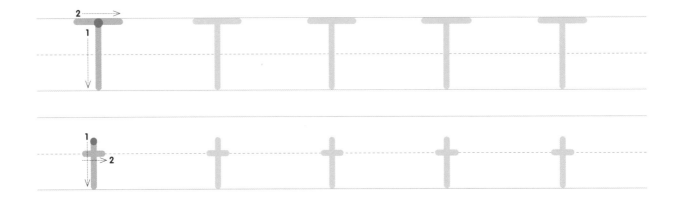

단어를 소리 내어 말하고, 첫소리 글자에 색칠한 후 스티커를 붙여 보세요.

대문자 T와 소문자 t를 따라 써 보세요.

대문자 T와 소문자 t에 <u>모두</u> 색칠하고 숨어있는 동물을 찾아 보세요.

어떤 동물이 보이나요? 알파벳을 따라 쓰고 정답을 확인해 보세요.

대문자 T와 소문자 t를 따라 쓰고 알맞은 그림과 연결해 보세요.

TALK

tall

TIGER

TAIL

toy

turtle

대문자 **U** 　 　 소문자 **u**

🦋 그림을 보고 알맞은 알파벳 스티커를 붙여 보세요.

U **P**　　　　u **nder**

U **GLY**　　　u **mbrella**

🌈 대문자 U와 소문자 u를 순서에 맞게 따라 써 보세요.

단어를 소리 내어 말하고, 첫소리 글자에 색칠한 후 스티커를 붙여 보세요.

대문자 U와 소문자 u를 따라 써 보세요.

대문자 U와 소문자 u가 들어간 단어의 그림에 <u>모두</u> 동그라미 하고 알파벳을 따라 써 보세요.

GRAB

umbrella

up

under

pee

QUIT

kite

UGLY

MOUSE

 대문자 U와 소문자 u를 따라 쓰고 알맞은 그림과 연결해 보세요.

 umbrella ·

 UP ·

 UNDER ·

 uniform ·

 UGLY ·

uncle ·

  **복습**

 들어 보세요

단어의 첫소리를 잘 듣고 알맞은 알파벳 스티커를 붙여 보세요.

 **IG**

 **ALL**

 **MBRELLA**

 **uit**

 **ed**

 **iger**

 **ink**

 AIN

 **nder**

 **UN**

 **it**

 **UICK**

단어 속에서 알파벳 Pp, Qq, Rr, Ss, Tt, Uu를 찾아 보세요.
Pp에는 ○, Qq에는 □, Rr에는 △, Ss에는 ☆, Tt에는 ♡, Uu에는 ◇를 그려 보세요.

이렇게 해 보세요.

 o c ♡ o p ◇ ☆

 PET

 quiet

 SIT

 ROCK

 up

 quilt

 talk

 JUMP

 QUEEN

 cut

♡♥ 보기 속 단어를 아래 퍼즐에서 <u>모두</u> 찾아 동그라미 해 보세요.

보기

SAD	UGLY	QUIT	PEE
RAIN	TOY	PET	SWIM

~~SAD~~

E S G R A I N
S Q U I T K W
P A T S W I M
E N D O E I C
T M O C Y P D
U G L Y T E V
Z J V N F E L

🌈 퍼즐에서 찾은 단어들을 대문자로 다시 한번 써 보세요.

SAD